Les petits secrets des Fables

Le Renard et la Cigogne

Alexandre Jardin

Fred Multier

D'après Jean de La Fontaine

hachette
JEUNESSE

Un renard radin vivait dans un tout petit chalet
au sommet d'une très haute montagne
loin de tout, pour ne surtout recevoir personne.
Dans sa cuisine, il ne gardait qu'un quart de sucre,
une seule coquille d'œuf, deux miettes de pain,
un demi-quartier de pomme et un dé de lait pour être sûr
que nul n'aurait envie de passer chez lui !

Compte les sapins.
(·6)

Pour s'amuser, toute la vallée se moquait du renard
si avare. Les marmottes disaient
qu'il fêtait son anniversaire sans mettre de bougies.
Les bouquetins répétaient qu'il ne jouait
qu'avec de la neige parce qu'elle est gratuite.
Et ça l'agaçait…

Bien que très gentille, la cigogne n’était pas la dernière à se moquer de lui avec ses copines.
Même si c’était juste pour rire !
Et ça le vexait…

Quelle couleur manque sur la corne du bouquetin ?

(Rouge.)

Alors le renard eut envie de jouer un bon tour à ces moqueurs.
Il choisit la cigogne et l'invita à dîner
avant son grand départ pour les pays chauds.
Afin d'économiser le prix du timbre sur l'enveloppe,
il envoya l'invitation par un pigeon voyageur très serviable
qui passait par là. Pour l'en remercier, le renard donna
un tout petit dé d'eau au pigeon. Rien de plus.

Vois-tu le crocodile ?

(Dans la montagne.)

Étonnée, la cigogne accepta l'invitation du renard.
Sans hésiter, elle s'acheta une jolie robe de cigogne.
Puis la coquette se pomponna et passa du temps
à se préparer pour lui faire honneur.
Enfin elle décolla, toute belle !

Trouve 1 maillot de bain
à cœurs, 1 bouée
canard et
des palmes.

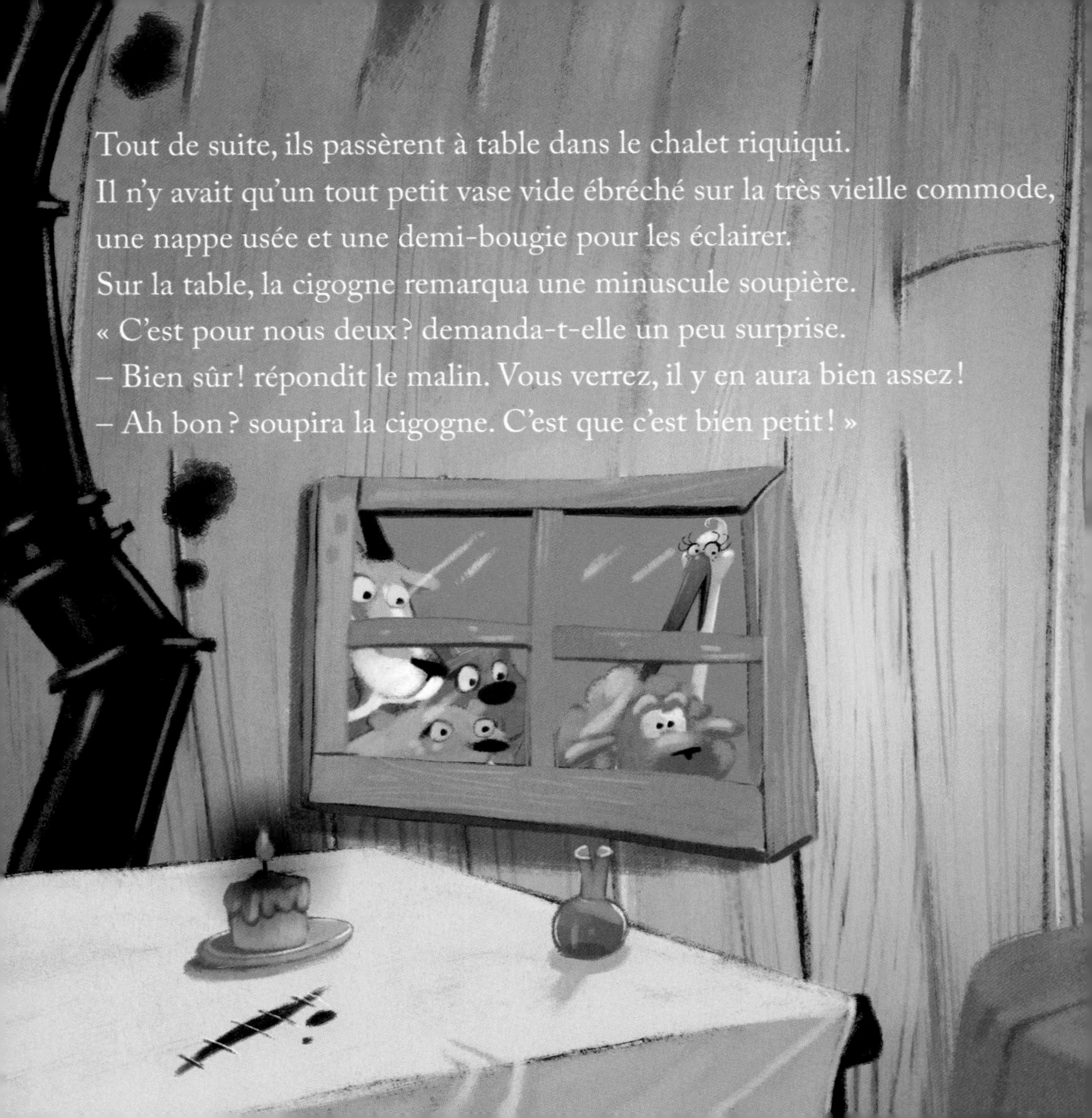

Tout de suite, ils passèrent à table dans le chalet riquiqui.
Il n'y avait qu'un tout petit vase vide ébréché sur la très vieille commode, une nappe usée et une demi-bougie pour les éclairer.
Sur la table, la cigogne remarqua une minuscule soupière.
« C'est pour nous deux ? demanda-t-elle un peu surprise.
– Bien sûr ! répondit le malin. Vous verrez, il y en aura bien assez !
– Ah bon ? soupira la cigogne. C'est que c'est bien petit ! »

Combien d'animaux
observent
la scène ?

Le renard servit sa soupe claire dans des assiettes.
Mais la cigogne ne pouvait pas en manger avec son long bec.

PIC POC faisait son bec en se cognant dans le fond.
La malheureuse ne pouvait rien attraper, pas le moindre légume.
Pendant ce temps-là, le renard lapa toute sa part !

Quel ingrédient n'est pas un légume ?

(La fraise.)

« Je suis vraiment désolé ! soupira le renard.
Votre bec est mal fait, dame cigogne. Vous mangerez une autre fois ! »
Affamée, la pauvre s'en retourna chez elle en grelottant.
Brrrrr ! Glagla ! Il était grand temps que la cigogne boucle ses valises
et parte dans un pays plus accueillant !

Trouve un flocon
à 8 branches.
(À gauche.)

Mais avant de partir, la cigogne décida de lui jouer aussi un bon tour.
Elle réunit ses copines, qui eurent mille idées de coquines.
L'une voulut donner au renard une tirelire vide pour lui faire croire qu'il avait reçu un trésor.

Une autre imagina qu'on pourrait lui offrir un pull qui gratte ou un chou à la crème sans crème !
C'est alors que notre gentille cigogne s'écria :
« J'AI UNE IDÉE pour lui rendre la pareille ! »

Où est l'autruche cachée dans l'image ?
(Entre les cigognes.)

Le lendemain, la cigogne pria le pigeon voyageur
de déposer chez le renard une invitation à dîner.
Elle l'invitait à partager un repas qu'on adore dans les montagnes :
une bonne fondue au fromage !
Pour remercier le pigeon, la généreuse cigogne lui fit cadeau
d'une belle écharpe rouge afin qu'il n'ait surtout pas froid !

Mme
Cigogne
Trouve la pelote de laine
de la cigogne.
(Sur
sa tête !)

Enchanté de se régaler d'une fondue qui ne lui coûterait rien, le renard accepta l'invitation.

Il se mit aussitôt à danser dans son tout petit chalet.
Rien ne lui faisait plus plaisir que de ne pas payer ses repas !

Trouve 3 erreurs dans les ombres.

(Les pattes et les fleurs.)

2
3

« Je vais manger une fondue gratuite ! Une fondue gratuite ! » chantait-il à tue-tête en dévalant la montagne pour se rendre chez la cigogne.
Tout à sa joie, le renard perdit l'équilibre et roula tant
qu'il se transforma en boule de neige…
qui vint s'écraser contre le mur du grand chalet de la cigogne !
BAM !

Un peu sonné mais impatient, le renard s'installa aussitôt à table.
Il eut alors la grande surprise de voir
que la fondue de la cigogne était servie dans de hauts vases.

Avec son long bec, elle pouvait s'en régaler.
Mais le renard, avec son museau court,
eut beau tout essayer, il ne put rien avaler !

Vexé d'avoir été trompé, le renard repartit chez lui
la queue et les oreilles basses, tandis que la cigogne, ravie,
s'envola avec ses copines vers l'Afrique…
Apprenez chers trompeurs, qu'il faut toujours s'attendre à la pareille

Retrouve les 2 cigognes jumelles.
(En bas à droite, en haut à gauche.)

Le Renard et la Cigogne

Compère le Renard se mit un jour en frais,
et retint à dîner commère la Cigogne.
Le régal fut petit et sans beaucoup d'apprêts :
Le galant pour toute besogne,
Avait un brouet clair ; il vivait chichement.
Ce brouet fut par lui servi sur une assiette :
La Cigogne au long bec n'en put attraper miette ;
Et le drôle eut lapé le tout en un moment.
Pour se venger de cette tromperie,
À quelque temps de là, la Cigogne le prie.
« Volontiers, lui dit-il ; car avec mes amis
Je ne fais point cérémonie. »
À l'heure dite, il courut au logis
De la Cigogne son hôtesse ;

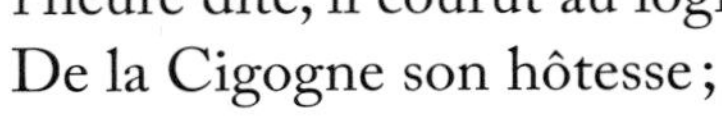